# 在南京大屠杀死难者国家公祭仪式上的讲话

（2014年12月13日）

习 近 平

人 民 出 版 社

**图书在版编目(CIP)数据**

在南京大屠杀死难者国家公祭仪式上的讲话/
习近平 著. —北京:人民出版社,2014.12
ISBN 978-7-01-014357-6

Ⅰ.①在… Ⅱ.①习… Ⅲ.①习近平-讲话②南京大屠杀-纪念日-学习参考资料 Ⅳ.①D2-0②K265.6

中国版本图书馆 CIP 数据核字(2014)第 304477 号

(RMC-ZJDXI-018-20141213)

**在南京大屠杀死难者国家公祭仪式上的讲话**
ZAI NANJING DATUSHA SINANZHE GUOJIA GONGJI YISHI SHANG DE JIANGHUA
(2014 年 12 月 13 日)
**习 近 平**

人民出版社 出版发行
(100706 北京市东城区隆福寺街 99 号)

北京新华印刷有限公司印刷 新华书店经销

2014 年 12 月第 1 版 2014 年 12 月北京第 1 次印刷
开本:880 毫米×1230 毫米 1/32 印张:0.25
字数:3 千字 印数:00,001-10,000 册

ISBN 978-7-01-014357-6 定价:2.00 元

邮购地址 100706 北京市东城区隆福寺街 99 号
人民东方图书销售中心 电话 (010)65250042 65289539

# 在南京大屠杀死难者国家公祭仪式上的讲话

（2014 年 12 月 13 日）

习　近　平

**同胞们，同志们，朋友们：**

今天，我们在这里隆重举行南京大屠杀死难者国家公祭仪式，缅怀南京大屠杀的无辜死难者，缅怀所有惨遭日本侵略者杀戮的死难同胞，缅怀为中国人民抗日战争胜利献出生命的革命先烈和民族英雄，表达中国人民坚定不移走和平发展道路的崇高愿望，宣示中国人民牢记历史、不忘过去，珍爱和平、开创未来的坚定立场。

1937 年 7 月 7 日，日本侵略者悍然发动了全面侵华战争，给中国人民带来了前所未有的巨大灾难，中国城乡战火连绵、硝烟四起，中国人民生灵涂炭、苦难深重，中国大地赤地千里、饿殍遍野。

1937 年 12 月 13 日，侵华日军野蛮侵入南京，制造了惨绝人寰的南京大屠杀惨案，30 万同胞惨遭杀戮，无数妇女遭到蹂躏残害，无数儿童死于非命，三分之一建筑遭到毁坏，大量财物遭到掠夺。侵华日军一手制造的这一灭绝人性的大屠杀惨案，是第二次世界大战史上“三大惨案”之一，是骇人听闻的反人类罪行，是人类历史上十分黑暗的一页。

令人感动的是，在南京大屠杀那些腥风血雨的日子里，我们的同胞守望相助、相互支持，众多国际友人也冒着风险，以各种方式保护南京民众，并记录下日本侵略者的残暴行径。他们中有德国的约翰·拉贝、丹麦的贝恩哈尔·辛德贝格、美国的约翰·马吉等人。对他们的人道精神和无畏义举，中国人民永远不会忘记。

日本侵略者制造的南京大屠杀惨案震惊了世界，震惊了一切有良知的人们。第二次世界大战胜利后，远东国际军事法庭和中国审判战犯军事法庭，都对南京大屠杀惨案进行调查并从法律上作出定性和定论，一批手上沾满中国人民鲜血的日本战犯受到了法律和正义的审判与严惩，被永远钉在了历史的耻辱柱上。

历史不会因时代变迁而改变，事实也不会因巧舌抵赖而消失。南京大屠杀惨案铁证如山、不容篡改。任何人要否认南京大屠杀惨案这一事实，历史不会答应，30 万无辜死难者的亡灵不会答应，13 亿中国人民不会答应，世界上一切爱好和平与正义的人民都不会答应。

同胞们、同志们、朋友们！

中国人民和中华民族历来具有不畏强暴、敢于压倒一切敌人而不被敌人所压倒的英雄气概。面对极其野蛮、极其残暴的日本侵略者，具有伟大爱国主义精神的中国人民没有屈服，而是凝聚起了同侵略者血战到底的空前斗志，坚定了抗日救国的必胜信念。在中国共产党号召和引领下，在全民族各种积极力量共同行动下，中华儿女同仇敌忾，视死如归，前仆后继，共御外敌。

经过 8 年艰苦卓绝的浴血奋战，中国人民付出了伤亡 3500 万人的沉重代价，用生命和鲜血打败了日本侵略者，赢得了中国人民抗日战争伟大胜利，也为世界反法西斯战争胜利作出了重大贡献。

中国人民抗日战争的胜利，谱写了中华民族不屈不挠抵抗外来侵略的壮丽史诗，彻底洗刷了近代以后中国屡遭外来侵略的民族耻辱，极大增强了中华民族的自信心和自豪感，也为中国人民在中国共产党领导下开辟实现民族复兴的正确道路创造了重要条件。

同胞们、同志们、朋友们！

自古以来，和平就是人类最持久的夙愿。和平像阳光一样温暖、像雨露一样滋润。有了阳光雨露，万物才能茁壮成长。有了和平稳定，人类才能更好实现自己的梦想。

历史告诉我们，和平是需要争取的，和平是需要维护的。只有人人都珍惜和平、维护和平，只有人人都记取战争的惨痛教训，和平才是有希望的。

我们为南京大屠杀死难者举行公祭仪式，是要唤起每一个善良的人们对和平的向往和坚守，而不是要延续仇恨。中日两国人民应该世代友好下去，以史为鉴、面向未来，共同为人类和平作出贡献。

忘记历史就意味着背叛，否认罪责就意味着重犯。我们不应因一个民族中有少数军国主义分子发起侵略战争就仇视这个民族，战争的罪责在少数军国主义分子而不在人民，但人们任何时候都不应忘记侵略者所犯下的严重罪行。一切罔顾侵略战争历史的态度，一切美化侵略战争性质的言论，不论说了多少遍，不论说得多么冠冕堂皇，都是对人类和平和正义的危害。对这些错误言行，爱好和平与正义的人们必须高度警惕、坚决反对。

同胞们、同志们、朋友们！

“疑今者，察之古；不知来者，视之往。”近代以后的100多年时间里，中国人民无数次经历了战争磨难，更加懂得和平的珍贵。弱肉强食不是人类共存之道，穷兵黩武不是人类和平之计。和平而不是战争，合作而不是对抗，才是人类社会进步的永恒主题。

刚才，我们为南京大屠杀死难者国家公祭鼎庄严揭幕。我们设置这尊鼎，就是要向世人宣告“昭昭前事，惕惕后人”、“永矢弗谖，祈愿和平”

的心愿。

此时此刻，我们要告慰所有在南京大屠杀惨案中不幸罹难的同胞们，告慰所有在日本侵华战争中不幸死难的同胞们，告慰所有在近代以来中国抗击外来侵略中英勇牺牲的同胞们，告慰所有在为争取民族独立、人民解放和国家富强、人民幸福的伟大斗争中英勇献身的同胞们：今天的中国，已经成为一个具有保卫人民和平生活坚强能力的伟大国家，中华民族任人宰割、饱受欺凌的时代已经一去不复返了，中国人民正在意气风发地沿着中国特色社会主义道路，为实现“两个一百年”奋斗目标、实现中华民族伟大复兴的中国梦而奋斗。中华民族的发展前景无比光明。

此时此刻，中国人民也要庄严昭告国际社会：今天的中国，是世界和平的坚决倡导者和有力捍卫者，中国人民将坚定不移维护人类和平与发展的崇高事业，愿同各国人民真诚团结起来，为建设一个持久和平、共同繁荣的世界而携手努力！